EDU GUEDES

dia a dia com mais sabor

PRINCIPAIS

30 min · 8 porções

Filé ao molho mostarda

ingredientes 8 bifes de filé-mignon ou baby beef • ½ colher (chá) de sal • ½ colher (chá) de pimenta-do-reino branca • 1 colher (sopa) de manteiga • 1 tablete de caldo de carne • ½ xícara de água quente • 1 lata de creme de leite • 1 colher (sopa) de mostarda • salsinha fresca a gosto

preparo **1** Tempere os filés com sal e pimenta-do-reino branca. Deixe-os pegar gosto. **2** Em uma frigideira, frite os filés na manteiga até ficar no ponto e reserve. **3** Na manteiga que restou na frigideira, coloque o caldo de carne dissolvido na água quente e deixe reduzir um pouco. Junte o creme de leite, mexa bem e vá colocando a mostarda até que fique no ponto desejado. Corrija o sal e acrescente salsinha a gosto. Despeje o molho por cima dos filés.

PRINCIPAIS

30 min
4 porções

Isca de carne

ingredientes 400 g de coxão mole magro cortado em tirinhas • 2 dentes de alho amassados • pimenta-do-reino a gosto (opcional) • 1 cebola picada • 1 colher (sopa) de azeite de oliva • 2 tomates sem pele e sem sementes picados • 2 xícaras de brócolis picado • 4 colheres (sopa) de molho de soja • 1 cenoura cortada em rodelas • cebolinha fresca em rodelinhas a gosto

preparo **1** Tempere a carne com o alho e pimenta. **2** Aqueça uma panela antiaderente e doure a carne de todos os lados. Reserve. **3** Refogue a cebola no azeite até amaciar. Junte o restante dos ingredientes, abaixe o fogo e deixe cozinhar até que os legumes fiquem macios. **4** Coloque o molho sobre a carne. Se quiser, salpique mais cebolinha e sirva.

PRINCIPAIS — 1h30 — 8 porções

Lagarto ao molho de palmito

ingredientes 1 cebola picada • 3 dentes de alho amassados • 2 xícaras de suco de laranja • 4 colheres (sopa) de molho de soja • 1 xícara de salsinha picada • 2 colheres (sopa) de azeite de oliva • 1 kg de lagarto • 2 colheres (sopa) de amido de milho • ½ xícara de água • 200 g de palmito cortado em pedaços • 4 colheres (sopa) de alcaparras

preparo **1** Em uma tigela, misture a cebola, o alho, o suco de laranja, o molho de soja e a salsinha. Coloque o lagarto e deixe marinar, na geladeira, por cerca de 12 horas. **2** Aqueça o azeite e doure a carne de todos os lados. Acrescente a marinada e um pouco de água. Tampe a panela e, após o início da fervura, cozinhe por 40 minutos ou até que a carne fique macia. Retire a carne do molho e reserve. **3** Dissolva o amido na água e junte ao molho da panela. Cozinhe até engrossar. Misture o palmito e as alcaparras e retire do fogo. Fatie e sirva com o molho.

- 45 min
- 6 porções

PRINCIPAIS

Assado de carne moída

ingredientes 1 cebola média picada • 2 dentes de alho picados • 2 colheres (sopa) de azeite de oliva • 300 g de carne moída magra • 2 colheres (chá) de orégano • ¼ de xícara de salsinha picada • 1 colher (chá) de sal • pimenta-do-reino a gosto • 3 colheres (sopa) de queijo minas padrão ralado • 2 ovos • 2 colheres (sopa) de aveia em flocos finos

preparo Doure a cebola e o alho no azeite e acrescente a carne moída, refogando até que fique cozida. Junte o orégano, a salsinha, metade do sal e a pimenta. Retire do fogo e coloque em um refratário untado com azeite e salpique o queijo. Bata bem os ovos até dobrarem de volume e junte a aveia e o restante do sal. Coloque sobre a carne e leve ao forno médio (180 ºC), preaquecido, por cerca de 15 minutos ou até dourar.

PRINCIPAIS — 1h15 — 8 porções

Rolê de carne com cogumelos

ingredientes 1 colher (chá) de manteiga • ½ cebola pequena picada • 100 g de cogumelo-de-paris fatiado • 4 colheres (sopa) de cebolinha picada • 2 colheres (chá) de tomilho fresco • ½ colher (chá) de sal • 2 xícaras de água quente • 500 g de coxão mole cortado em bifes finos • 1 dente de alho picado • palitos de madeira para prender • 2 colheres (sopa) de óleo

preparo **1** Derreta a manteiga e refogue a cebola. Junte os cogumelos, a cebolinha, o tomilho e o sal. Acrescente ½ xícara de água e cozinhe por 5 minutos ou até secar o líquido. Reserve até amornar. **2** Tempere os bifes com sal e o alho e reserve. **3** Separe ½ xícara da mistura de cogumelos. Distribua o restante entre os bifes, enrole e prenda com palitos. Reserve. **4** Em uma panela de pressão, aqueça o óleo, doure a carne e coloque o restante da água. Tampe a panela e cozinhe em fogo médio por 25 minutos contados a partir do início da pressão. Desligue e espere sair todo o vapor. Abra a panela e verifique o cozimento. Se necessário, coloque mais ½ xícara de água e cozinhe com a panela destampada até a carne ficar macia. **5** Transfira os rolês para uma travessa. Adicione a mistura de cogumelos ao molho da panela, misture e aqueça. Cubra os rolês com o molho. Sirva em seguida.

- 30 min
- 7 porções

PRINCIPAIS

Bifinho de carne moída

ingredientes 250 g de carne moída • 4 fatias de pão de fôrma em cubinhos • ½ colher (chá) de sal • pimenta-do-reino a gosto • 1 cebola ralada • 2 colheres (sopa) de azeite • 2 cebolas cortadas em anéis • ½ colher (sopa) de molho inglês

preparo Misture a carne moída, o pão, o sal, pimenta e a cebola ralada. Com as mãos úmidas, modele os bifes com a carne moída. Aqueça o azeite em uma frigideira antiaderente e frite os bifes até dourar dos dois lados. Na mesma frigideira, coloque os anéis de cebola e o molho inglês. Frite até as cebolas ficarem douradas. Sirva em seguida com os bifes.

PRINCIPAIS — 1h30 — 10 porções

Empadão goiano

ingredientes 1 gema batida para pincelar **Massa** 1½ xícara de água morna • ½ colher (sopa) de sal • ⅓ de xícara de óleo • 2 ovos • 5 colheres (sopa) de manteiga amolecida • 1½ colher (chá) de fermento em pó • 6 xícaras de farinha de trigo **Recheio** 2 colheres (sopa) de óleo • 3 linguiças frescas esmigalhadas • 500 g de lombo de porco em cubos • 1 peito de frango em cubos • 2 cebolas grandes picadas • 4 dentes de alho amassados • 3 tomates grandes sem pele e sem sementes picados • 1 xícara de água • 2 batatas grandes cozidas e picadas • 1 vidro grande de palmito em conserva picado • pimenta-de-bode picada e sal a gosto • 4 colheres (sopa) de cheiro-verde picado

preparo **Massa** Em uma tigela, coloque a água, o sal, o óleo, os ovos, a manteiga e misture bem. Junte o fermento e, aos poucos, a farinha, sovando até desgrudar da mão. Reserve por 2 horas. **Recheio** Frite separado no óleo a linguiça, o lombo e o frango e reserve. Na mesma panela, frite a cebola, o alho e o tomate. Junte a água e as carnes. Cozinhe até secar. Coloque as batatas, o palmito, pimenta e sal. Desligue e junte o cheiro-verde. **Montagem** Abra ⅔ da massa com um rolo e forre o fundo e a lateral de uma fôrma redonda grande de aro removível. Despeje o recheio e abra a massa restante para cobrir. Pincele a gema e leve ao forno preaquecido por 40 minutos.

- 1h30
- 5 porções

PRINCIPAIS

Costelinha com molho andaluz

ingredientes **Costelinha** 1 kg de costelinha de porco cortada entre ossos • suco de 1 limão • ½ colher (sopa) de sal **Molho** ½ embalagem de polpa de tomate (260 g) • 1 xícara de maionese • 1 pimentão vermelho picado • 2 colheres (sopa) de salsinha picada • 1 colher (sopa) de pimenta dedo-de-moça picada • 1 colher (chá) de suco de limão • 1 colher (chá) de sal

preparo **Costelinha** Tempere a costelinha com o limão e o sal e deixe tomar gosto por 30 minutos. Coloque a costelinha em uma assadeira forrada com papel-alumínio e cubra com mais papel-alumínio. Asse por 40 minutos. Retire o alumínio que cobre a carne e volte ao forno até dourar. **Molho** Em uma panela, junte todos os ingredientes e leve ao fogo por 5 minutos contados após o início da fervura. Desligue. Disponha as costelinhas em um refratário, despeje o molho sobre elas e sirva a seguir.

PRINCIPAIS — 1h40 — 8 porções

Escondidinho de carne-seca

ingredientes 1 kg de carne-seca • 1 kg de mandioca descascada • 2 litros de leite • ½ xícara de manteiga • 1½ xícara de cebola picada • 6 dentes de alho picados • 2 colheres (sopa) de queijo parmesão ralado

preparo 1 Faça o dessalgue da carne, fervendo-a e trocando a água por três vezes. Na quarta água, deixe cozinhar e depois desfie a carne. Reserve. 2 Coloque a mandioca para cozinhar no leite até desmanchar e formar um purê. 3 Em uma panela, junte a manteiga, a cebola e o alho e deixe dourar. Em seguida, acrescente a carne-seca e refogue. 4 Em uma travessa, disponha uma fina camada de purê de mandioca. Espalhe a carne e cubra com o restante do purê. Polvilhe o parmesão e leve ao forno para gratinar. Sirva a seguir.

PRINCIPAIS

1h30
8 porções

Lombo suíno com mandioquinha

ingredientes 400 g de lombo suíno, sem gordura aparente, cortado em pedaços • 4 dentes de alho amassados • 1 colher (chá) de sal • 1 colher (chá) de azeite de oliva • 1 cebola ralada • 2 folhas de louro • ¼ de xícara de cheiro-verde • 2 tomates sem pele e sem sementes picados • ½ xícara de vinho tinto seco • 1½ xícara de água • 500 g de mandioquinha cortada em pedaços

preparo **1** Tempere o lombo com o alho e o sal. Aqueça o azeite em uma panela de pressão e doure a carne até que perca a cor rosada. Acrescente a cebola e refogue mais um pouco. **2** Junte o louro, o cheiro-verde, os tomates, o vinho e a água e cozinhe na pressão por 40 minutos. **3** Retire a pressão, abra a panela e adicione a mandioquinha. Se necessário, acrescente um pouco mais de água. Deixe cozinhar por cerca de 20 minutos ou até que o caldo encorpe e fique suculento.

PRINCIPAIS

1 hora
6 porções

Frango com quiabo

ingredientes **Quiabo** 500 g de quiabo • suco de 1 limão • 1 colher (chá) de azeite de oliva **Frango** 3 coxas de frango sem a pele • 3 sobrecoxas de frango sem a pele • ½ colher (chá) de sal • pimenta-do-reino a gosto • 1 envelope de caldo de galinha • 2 xícaras de água • 2 colheres (sopa) de colorau • 1 colher (chá) de azeite de oliva • 4 dentes de alho picados • 1 cebola média picada • 4 colheres (sopa) de cebolinha picada

preparo **Quiabo** Corte o quiabo em rodelas e deixe de molho em água com limão para retirar a baba por cerca de 30 minutos. Escorra, enxugue o quiabo e refogue no azeite, sem deixar corar. Reserve. **Frango 1** Tempere o frango com o sal e pimenta. **2** Ferva o caldo de galinha diluído na água e junte o colorau. **3** Aqueça o azeite em uma panela grande antiaderente e grelhe os pedaços de frango até que dourem. Junte o alho e a cebola, mexendo até amaciar. Vá colocando o caldo de galinha até cobrir o frango. Deixe cozinhar em fogo baixo, com a panela semitampada. **4** Adicione o quiabo ao frango na panela e deixe por cerca de 10 minutos para encorpar o molho. Salpique a cebolinha.

- 50 min
- 6 porções

PRINCIPAIS

13

Espetinho de frango

ingredientes 400 g de peito de frango cortado em cubos • uma pitada de pimenta-do-reino branca • ½ colher (chá) de sal • 1 colher (sopa) de suco de limão • 1 colher (sopa) de mostarda • 1 colher (sopa) de folhas de manjericão • 1 colher (sopa) de orégano fresco • 2 colheres (chá) de azeite de oliva • 2 limões • 2 laranjas • 200 g de blanquet de peru cortado em fatias

preparo 1 Tempere o frango com a pimenta, o sal, o limão, a mostarda, as ervas e o azeite. Leve à geladeira e deixe tomar gosto por no mínimo 20 minutos. 2 Corte os limões e as laranjas, com a casca, em cubos do mesmo tamanho do frango. Monte os espetos alternando os cubos de frango, as fatias de blanquet de peru dobradas em quatro e as frutas. 3 Coloque os espetos em uma assadeira antiaderente e leve ao forno médio (180 ºC), preaquecido, por cerca de 30 minutos, virando na metade do tempo.

PRINCIPAIS

40 min
5 porções

Filé de pescada ao molho de maracujá

ingredientes 5 filés de pescada • 1 colher (chá) de sal • 1 xícara de creme de leite • ¼ de xícara de suco de maracujá • 100 g de mozarela ralada

preparo 1 Tempere os filés com o sal e grelhe. Retire e reserve. Coloque na mesma panela o creme de leite, o suco de maracujá e deixe ferver até apurar. 2 Em um refratário, disponha os filés, cubra com o molho, polvilhe a mozarela e leve ao forno para gratinar.

- 50 min
- 6 porções

PRINCIPAIS

Galinhada

ingredientes 1 galinha grande cortada em pedaços • suco de ½ limão • sal a gosto • 4 colheres (sopa) de óleo • 1 cebola média picada • 3 dentes de alho picados • 2 folhas de louro • 3 tomates sem pele e sem sementes picados • 1 pimentão vermelho picado • ¼ de pimentão verde picado • 2 xícaras de arroz • 4 xícaras de água quente • 1 xícara de cheiro-verde picado

preparo Tempere a galinha com o suco de limão e sal. Em uma panela grande, aqueça o óleo e frite a galinha até começar a dourar. Junte a cebola, o alho, o louro e frite mais um pouco. Acrescente os tomates, os pimentões, o arroz e sal. Adicione a água quente e cozinhe em fogo médio, com a panela tampada até secar. Se o arroz ainda estiver duro, coloque mais um pouco de água quente e deixe secar. Desligue e misture o cheiro-verde. Sirva a seguir.

PRINCIPAIS

30 min
4 porções

Frango à portuguesa

ingredientes 4 tomates cortados em rodelas • 4 batatas cozidas cortadas em rodelas • 2 cebolas cortadas em rodelas • 1 colher (chá) de sal • 500 g de peito de frango cozido desfiado em pedaços grandes • 1 pimentão verde cortado em rodelas • 3 colheres (sopa) de azeitonas pretas picadas • azeite de oliva para regar

preparo Em um refratário untado, faça uma camada com metade do tomate e cubra com metade das batatas e das cebolas. Salpique metade do sal. Distribua o frango e depois o pimentão e as azeitonas. Regue com o azeite e leve ao forno para aquecer até murcharem os tomates, as cebolas e o pimentão.

- 40 min
- 4 porções

PRINCIPAIS

17

Salmão ao molho de laranja

ingredientes ⅔ de xícara de suco de laranja natural • 2 dentes de alho pequenos picados • 1 colher (chá) de sal • 4 postas médias de salmão • ½ colher (sopa) de amido de milho • 3 colheres (sopa) de água

preparo Misture ao suco de laranja o alho e o sal. Coloque o salmão em um refratário, regue com o molho e cubra com papel-alumínio. Deixe o salmão descansar durante 1 hora para pegar o gosto do tempero. Leve ao forno médio por 30 minutos ou até completar o cozimento. Retire do forno, escorra o molho em uma panela, leve ao fogo baixo e acrescente o amido de milho dissolvido em água. Mexa continuamente até engrossar. Retire do fogo e regue o salmão cozido com este molho. Sirva a seguir.

Cubos de frango caipira

PRINCIPAIS — 40 min — 5 porções

ingredientes 3 colheres (sopa) de manteiga • 1 dente de alho picado • 1 kg de peito de frango cortado em cubos • 1 cebola grande picada • 1 pimentão vermelho picado • 1 colher (sopa) de sal • 4 colheres (sopa) de salsinha picada • 1 lata de milho escorrida • 1 embalagem de polpa de tomate (520 g) • 1 caixinha de creme de leite

preparo Em uma panela grande, aqueça a manteiga, junte o alho e o frango e deixe dourar. Adicione a cebola, o pimentão, abaixe o fogo e refogue até que a cebola esteja macia. Tempere com o sal e a salsinha e mexa delicadamente por 5 minutos. Junte o milho, a polpa de tomate e, por último, o creme de leite. Sirva com arroz branco.

- 35 min
- 6 porções

PRINCIPAIS

19

Pescada à moda finlandesa

ingredientes 1 xícara de requeijão • 2 colheres (sopa) de picles bem picado • 1 colher (sopa) de salsinha picada • 1 colher (sopa) de mostarda • 1 colher (sopa) de salsão bem picado • 2 colheres (sopa) de cebola picada • 1 colher (chá) de molho inglês • 1 dente de alho picado • sal a gosto • 6 filés de pescada

preparo Em um refratário, misture todos os ingredientes, menos os filés de pescada. Passe os filés neste creme e coloque em uma assadeira forrada com papel-alumínio. Leve ao forno preaquecido em temperatura média-alta por 25 minutos. Sirva a seguir.

PRINCIPAIS

30 min
5 porções

Tilápia com castanhas e alho-poró

ingredientes 5 filés de tilápia • suco de 1 limão-taiti • 2 colheres (sopa) de ervas frescas picadas • sal e pimenta-do-reino a gosto • 2 colheres (sopa) de azeite • 1 cebola picada • 3 talos de alho-poró cortados em rodelas finas • ½ xícara de castanha portuguesa cozida e picada • 1 xícara de tomates-cereja cortados ao meio • ½ colher (chá) de gengibre em pó

preparo **1** Tempere os filés de tilápia com o suco de limão, as ervas, sal e pimenta-do-reino. Leve para grelhar e reserve. **2** Em uma panela, aqueça o azeite e refogue a cebola junto com o alho-poró. Quando estiverem murchos, adicione a castanha portuguesa, o tomate-cereja e o gengibre. Acerte o sal e sirva sobre os filés de tilápia.

- 30 min
- 4 porções

PRINCIPAIS

Linguado com pimenta rosa

ingredientes 200 g de mozarela de búfala • ¾ de xícara de azeite • ¼ de xícara de suco de limão • sal e pimenta-do-reino a gosto • 4 filés de linguado de aproximadamente 200 g cada • 4 colheres (sopa) de farinha de trigo • 1 abacate firme e maduro cortado em lâminas • suco de 1 limão para o abacate • 1 colher (sopa) de pimenta rosa em grãos • 2 colheres (sopa) de cebolinha picada

preparo **1** Corte a mozarela de búfala em rodelas finas e tempere com 2 colheres (sopa) do azeite, o limão, sal e pimenta-do-reino. Deixe tomar gosto por 10 minutos. **2** Em uma frigideira antiaderente, aqueça o azeite restante e frite os filés de linguado já temperados com sal e pimenta-do-reino e empanados na farinha de trigo. **3** Tempere as lâminas de abacate com sal e limão e frite por 1 minuto da cada lado no azeite. Decore o prato com a pimenta rosa e a cebolinha.

PRINCIPAIS

40 min
6 porções

Panqueca de carne moída com berinjela

ingredientes 6 discos de massa para panqueca prontos **Recheio** 300 g de carne moída magra • 1 cebola picada • 2 dentes de alho amassados • 1 colher (sopa) de salsinha picada • ½ colher (chá) de sal **Molho** 1 cebola picada • 2 dentes de alho amassados • 1 colher (sopa) de azeite de oliva • 1 berinjela pequena cortada em cubos • 1 lata de molho de tomate pronto • ½ colher (chá) de sal • manjericão a gosto

preparo **Recheio** Refogue a carne até que perca a sua cor rosada. Acrescente a cebola e o alho e mexa mais um pouco. Adicione o restante dos ingredientes, deixe cozinhar por cerca de 5 minutos e reserve. **Molho** Refogue a cebola e o alho no azeite, junte a berinjela e mexa por mais 5 minutos. Acrescente o restante dos ingredientes e deixe cozinhar até que fique um molho grosso e encorpado. **Montagem** Recheie as massas e enrole as panquecas. Cubra com o molho e leve ao forno por 10 minutos para aquecer.

- 40 min
- 4 porções

PRINCIPAIS

Risoni cremoso com frango e abóbora

ingredientes 1 peito de frango sem osso e sem pele (300 g) • 1 colher (chá) de sal • 1 dente de alho amassado • 1 colher (chá) de azeite de oliva • 1 xícara de macarrão tipo risoni • 2 xícaras de abóbora cortada em cubos pequenos • 1 xícara de água • ½ xícara de queijo cottage • salsinha picada

preparo 1 Tempere o frango com o sal e o alho. Aqueça uma panela com o azeite e grelhe o frango até dourar. Retire e reserve. 2 Cozinhe o macarrão em água abundante e sal, escorra e reserve. 3 Na mesma panela que grelhou o frango, adicione a abóbora e regue com a água. Tampe a panela e cozinhe em fogo baixo por cerca de 10 minutos, ou até amaciar. 4 Junte o risoni, o queijo cottage e a salsinha. Mexa e desligue. 5 Corte o frango grelhado em tiras grossas. 6 Coloque o risoni em uma travessa e disponha os pedaços de frango por cima. Sirva em seguida.

Canelone de ricota e peito de peru

ingredientes 1 cebola ralada • 1 colher (sopa) de azeite de oliva • 250 g de peito de peru moído • 250 g de ricota amassada com o garfo • 1 colher (chá) de amido de milho • ½ xícara de leite desnatado • 250 g de massa fresca para lasanha • 2 xícaras de molho de tomate • manjericão para salpicar

preparo Doure a cebola no azeite e acrescente o peito de peru. Refogue um pouco. Adicione a ricota, misture e junte o amido dissolvido no leite. Mexa até engrossar. Coloque um pouco desse recheio sobre as tiras de massa e enrole, moldando os canelones. Regue com um pouco de molho o fundo de um refratário, distribua os canelones e cubra com o restante do molho. Salpique o manjericão e leve ao forno para esquentar bem.

- 40 min
- 6 porções

PRINCIPAIS

Nhoque de arroz

ingredientes Nhoque 2 xícaras de arroz cozido • 2 colheres (sopa) de queijo parmesão ralado • 1 ovo • sal a gosto • ½ xícara de farinha de trigo **Molho** 1 cebola picada • 2 colheres (sopa) de salsão picado • 2 colheres (sopa) de pimentão vermelho picado • 1 dente de alho amassado • 1 colher (chá) de gengibre picado • 1 colher (sopa) de azeite de oliva • 300 g de camarões médios limpos • 2 colheres (sopa) de molho de soja • ½ xícara de água • 1 colher (sopa) de amido de milho • 2 colheres (sopa) de castanhas de caju torradas • cebolinha a gosto

preparo Nhoque Bata o arroz no processador. Junte o queijo, o ovo e sal e coloque a farinha até dar ponto. Faça rolinhos com a massa e corte em pedaços. Leve ao fogo cerca de 4 litros de água. Quando ferver, adicione os nhoques, aos poucos, até que subam à superfície. Retire e coloque em uma travessa. **Molho** Refogue a cebola, o salsão, o pimentão, o alho e o gengibre no azeite e junte os camarões. Refogue por 5 minutos. À parte, misture o molho de soja, a água e o amido e adicione à panela. Deixe engrossar, acrescente as castanhas e cebolinha.

Macarrão com molho de brócolis

ingredientes 400 g de macarrão integral tipo parafuso • sal a gosto • 3 colheres (sopa) de azeite • 1 cebola picada • 2 tomates sem sementes picados • 1 pé de brócolis • orégano a gosto • 4 colheres (sopa) de requeijão

preparo Cozinhe o macarrão al dente com sal e 1 colher (sopa) de azeite. Escorra em uma panela e reserve. Aqueça o restante do azeite, doure a cebola, junte o tomate, os brócolis e refogue até os legumes ficarem macios. Junte o orégano e deixe secar a água. Adicione o requeijão e desligue. Misture na massa e sirva.

- 45 min
- 10 porções

ACOMPANHAMENTOS

27

Arroz integral colorido

ingredientes 1 colher (sopa) de azeite de oliva • 1 colher (sopa) de gengibre ralado • 1 cebola roxa picada • 1 colher (chá) de curry em pó • 1 xícara de arroz integral • ½ xícara de ervilha fresca • 1 cenoura picada • ½ xícara de mandioquinha cortada em cubos • 1 colher (chá) de sal • 3 xícaras de água • salsinha picada para salpicar

preparo Em uma panela, coloque o azeite, o gengibre, a cebola e o curry e refogue bem. Junte o arroz e refogue um pouco. Acrescente a ervilha, a cenoura, a mandioquinha e o sal. Cubra com a água e deixe cozinhar com a panela destampada, sem mexer, até o arroz ficar macio. Salpique a salsinha e sirva.

ACOMPANHAMENTOS

15 min
8 porções

Salada de alcachofra com erva-doce

ingredientes 5 fundos de alcachofra • 1 bulbo pequeno de erva-doce • 2 colheres (sopa) de folhas de erva-doce • 150 g de cogumelos cortados em fatias • 10 tomates-cereja • suco de 1 limão • ½ colher (sopa) de mostarda • 2 colheres (sopa) de azeite de oliva • ½ colher (chá) de sal • 5 folhas grandes de alface americana picadas • 10 folhas de agrião

preparo Misture os fundos de alcachofra, a erva-doce, as folhas de erva-doce, os cogumelos, os tomates e os temperos. Deixe na geladeira por cerca de 2 horas para tomar gosto. Espalhe as folhas de alface e agrião no fundo de uma saladeira e distribua a mistura reservada.

ACOMPANHAMENTOS

- 30 min
- 4 porções

Fritada com batata e cebola

ingredientes 1 batata cortada em fatias bem finas • 1 batata yacon cortada em fatias bem finas • 3 ovos batidos • 1 colher (sopa) de água • ½ colher (chá) de sal • 1 colher (sopa) de azeite de oliva • 1 cebola fatiada • 3 colheres (sopa) de salsinha picada • 1 colher (sopa) de queijo parmesão ralado • ½ tomate picado

preparo Coloque as batatas sobre uma peneira, polvilhe um pouco de sal e deixe descansar. Bata os ovos com a água e o sal e reserve. Aqueça o azeite em uma frigideira antiaderente e coloque as batatas. Despeje os ovos e cubra com a cebola. Tampe e deixe fritar por alguns minutos. Com cuidado, vire a fritada e deixe dourar do outro lado. Quando estiver quase pronta, distribua a salsinha, o queijo e o tomate.

ACOMPANHAMENTOS

40 min
4 porções

Chuchu recheado

ingredientes 2 chuchus médios cozidos e cortados ao meio no sentido do comprimento • 300 g de seleta de legumes congelada • ½ cebola pequena ralada • 1 xícara de maionese • ¼ de colher (chá) de sal • 1 colher (sopa) de queijo parmesão ralado

preparo Preaqueça o forno em temperatura média (180 ºC). Retire a polpa dos chuchus, esculpindo uma canoa. Em uma tigela, misture a polpa dos chuchus, a seleta de legumes, a cebola e a maionese. Divida o recheio em 4 partes e preencha cada metade de chuchu. Polvilhe com o queijo ralado e coloque em uma assadeira média. Leve ao forno por 15 minutos ou até gratinar.

ACOMPANHAMENTOS

⏱ 1 hora
🍴 6 porções

Berinjela ao forno

ingredientes 2 berinjelas médias cortadas em rodelas • 1 cebola média cortada em rodelas finas • 3 tomates cortados em rodelas • 2 colheres (sopa) de azeitonas pretas picadas • 2 dentes de alho amassados • ½ xícara de vinho branco • 2 colheres (sopa) de azeite de oliva • 1 colher (chá) de sal • orégano fresco a gosto • 2 colheres (sopa) de queijo parmesão ralado

preparo **1** Em um refratário untado com azeite, coloque uma camada de berinjela e cubra com cebola, tomate e azeitonas. Repita as camadas até terminar os ingredientes. **2** Em uma tigela, misture o alho, o vinho, o azeite, o sal e o orégano. Regue os vegetais com esse caldo. **3** Salpique o queijo parmesão e cubra com papel-alumínio. Leve ao forno médio (180 ºC) por cerca de 40 minutos. **4** Retire o papel-alumínio e deixe mais um pouco até que as berinjelas fiquem macias e o queijo, dourado. Sirva em seguida.

ACOMPANHAMENTOS

40 min
10 porções

Creme de milho-verde e brócolis

ingredientes 2 colheres (sopa) de azeite de oliva • 1 cebola picada • 2 xícaras de brócolis cozidos e picados • 2 latas de milho-verde cozido no vapor • 1 colher (sopa) de salsinha picada • 1 colher (chá) de sal • 3 xícaras de leite • 1 colher (sopa) de farinha de trigo

preparo No azeite, refogue a cebola e o brócolis. Reserve. Bata o milho, a salsinha, o sal, o leite e a farinha de trigo. Leve ao fogo e cozinhe até engrossar. Acrescente o brócolis refogado e misture. Sirva quente.

ACOMPANHAMENTOS

- 40 min
- 12 porções

Assado de legumes

ingredientes 5 batatas médias cozidas • 3 tomates • 3 cenouras • 2 cebolas • 2 berinjelas • noz-moscada a gosto • 1 colher (chá) de sal • ½ xícara de azeite de oliva • 100 g de queijo mozarela

preparo Cozinhe todos os legumes separadamente e corte-os em rodelas. Cubra o fundo de um refratário médio com as batatas. Faça camadas com o tomate, a cenoura, a cebola e por último a berinjela. Sempre temperando com azeite, noz-moscada e o sal. Por último, cubra o refratário com a mozarela e leve ao forno até o queijo derreter e penetrar nos legumes.

ACOMPANHAMENTOS

50 min • 6 porções

Batata recheada

ingredientes 6 batatas grandes • 500 g de cenoura picada • 3 colheres (sopa) de manteiga • ½ colher (chá) de páprica picante • ½ colher (sopa) de salsinha picada • sal a gosto • 1 pacote pequeno de queijo parmesão ralado (50 g) • 6 colheres (chá) de requeijão

preparo **1** Cozinhe as batatas inteiras, com casca, na água, até ficarem macias. Reserve. **2** Cozinhe a cenoura até ficar bem macia e separe ½ xícara da água do seu cozimento. Bata no liquidificador a cenoura cozida, a água do seu cozimento reservada, a manteiga, a páprica picante, a salsinha e sal. Reserve. **3** Com o auxílio de uma faca, corte uma tampa da batata e, com uma colher pequena, faça uma cavidade no meio. Coloque 1 colher (chá) de requeijão em cada batata e termine de rechear com o purê de cenouras. Polvilhe o parmesão e leve ao forno preaquecido para gratinar por aproximadamente 10 minutos.

- 30 min
- 4 porções

ACOMPANHAMENTOS

35

Suflê de espinafre

ingredientes 2 colheres (sopa) de óleo de girassol • 1 cebola média ralada • 2 dentes de alho picados • 500 g de espinafre limpo • ½ colher (chá) de sal • ½ colher (chá) de pimenta-do-reino • 4 ovos (claras e gemas separadas) • 2 colheres (sopa) de creme de leite • uma pitada de noz-moscada

preparo 1 Em uma panela, coloque o óleo, a cebola, o alho e leve ao fogo para dourar. Junte o espinafre, tempere com sal e pimenta e refogue na própria água. Escorra-o e espere esfriar. 2 Aperte o espinafre com as mãos para eliminar o máximo de água possível. Coloque o espinafre no liquidificador e bata até obter um purê. Transfira o purê para uma tigela. Junte as gemas, o creme de leite, a noz-moscada e tempere com sal e pimenta; misture bem. 3 À parte, bata as claras em neve firme e incorpore-as delicadamente à mistura de espinafre. 4 Unte quatro forminhas individuais de suflê, distribua a mistura entre elas e leve para assar em forno preaquecido a 220 ºC por 7 minutos. Reduza a temperatura para 200 ºC e asse por mais 5 minutos. Retire do forno e sirva imediatamente.

ACOMPANHAMENTOS

20 min · 10 porções

Salada de batata com ervas

ingredientes 500 g de batata bolinha • ¼ de xícara de azeite de oliva • ¼ de xícara de vinagre de vinho tinto • ¼ de xícara de salsinha picada • ¼ de xícara de manjericão picado • ¼ de xícara de tomilho picado • ¼ de xícara de cebolinha picada • 2 colheres (sopa) de alho picado frito

preparo Cozinhe a batata com casca em água fervente por 15 minutos ou até ficar macia. Transfira para uma tigela e, com a batata ainda quente, junte os demais ingredientes. Misture bem e sirva fria.

1h40
8 porções

SOBREMESAS

Sagu ao vinho tinto

ingredientes 1 litro de água • 1 xícara de sagu • ½ xícara de açúcar • uma pitada de cravo em pó • uma pitada de canela em pó • 1 xícara de vinho tinto

preparo **1** Leve a água ao fogo até ferver, desligue e coloque o sagu. Deixe-o de molho por cerca de 1 hora. **2** Leve ao fogo com o açúcar, o cravo e a canela. Cozinhe por cerca de 20 minutos, até que fique encorpado e transparente. Adicione o vinho e deixe mais 5 minutos. **3** Retire e leve para gelar.

SOBREMESAS

Flan de ricota com laranja

ingredientes 1 envelope de gelatina em pó sem sabor • 3 colheres (sopa) de água • 450 g de ricota • ¾ de xícara de suco de laranja • ½ xícara de açúcar • 250 g de creme de leite • óleo de canola para untar a fôrma

preparo Misture a gelatina na água e leve ao fogo até dissolver. Espere esfriar. No liquidificador, bata a ricota, o suco de laranja, a gelatina e o açúcar. Despeje em uma tigela e junte o creme de leite, mexendo delicadamente. Unte uma fôrma para pudim com óleo. Despeje a mistura e leve à geladeira por 4 horas ou até que endureça.

⏱ 30 min
🍴 10 porções

SOBREMESAS

Estrogonofe de chocolate

ingredientes 2 xícaras de leite • ½ xícara de chocolate em pó • 1 colher (sopa) cheia de amido de milho • 1 colher (chá) de essência de baunilha • 4 colheres (sopa) de açúcar • 1 caixinha de creme de leite • 50 g de nozes picadas • 50 g de chocolate cortado em pedacinhos

preparo Leve ao fogo o leite, o chocolate em pó, o amido, a baunilha e o açúcar. Espere amornar e acrescente o creme de leite. Misture bem. Deixe esfriar e adicione as nozes e o chocolate. Coloque em uma taça grande e leve à geladeira por cerca de 2 horas.

SOBREMESAS

40 min
6 porções

Sorvete de chocolate fácil

ingredientes 1 copo de leite • 250 g de leite condensado • 3 colheres (sopa) de achocolatado • 2 ovos (claras e gemas separadas) • 2 colheres (sopa) de açúcar

preparo Leve ao fogo o leite, o leite condensado, o achocolatado e as gemas, mexendo sempre até engrossar. Deixe esfriar. Bata as claras em neve, junte o açúcar e misture delicadamente ao creme reservado. Leve para congelar.

- 1 hora
- 20 porções

SOBREMESAS

41

Bombocado de mandioca

ingredientes 1 kg de mandioca crua ralada • 2½ xícaras de açúcar • 2 colheres (sopa) de manteiga • 1¼ xícara de leite de coco • 1 ovo • 1 clara • 100 g de coco ralado • 50 g de queijo parmesão ralado • 1 colher (sopa) cheia de fermento em pó

preparo Misture todos os ingredientes. Despeje em uma fôrma média untada com margarina. Leve ao forno médio preaquecido por aproximadamente 45 minutos ou até dourar. Sirva cortado em pedaços.

42 — SOBREMESAS — 20 min — 2 porções

Manga grelhada ao molho dourado

ingredientes 2 mangas • ½ xícara de suco de manga (ou outro sabor de sua preferência) • 1 colher (chá) de azeite de oliva • folhas de hortelã para decorar (opcional)

preparo **1** Retire 4 fatias da lateral de cada uma das mangas e reserve. **2** Pique o restante da polpa e bata no liquidificador com o suco. Se ficar muito espessa, acrescente um pouco de água. Leve ao fogo para apurar. **3** Aqueça uma grelha ou frigideira antiaderente e besunte com o azeite. Grelhe as fatias de manga dos dois lados até dourar. **4** Na hora de servir, regue com a calda e decore com folhas de hortelã.

- 40 min
- 8 porções

SOBREMESAS

Pudim de batata-doce

ingredientes 300 g de batata-doce cozida • 3 colheres (sopa) de amido de milho • 2 colheres (sopa) de manteiga • 2 xícaras de leite • 4 colheres (sopa) de açúcar • 50 g de coco ralado • coco ralado para salpicar

preparo Bata todos os ingredientes no liquidificador. Coloque a mistura em uma fôrma para pudim bem untada com margarina e leve ao forno médio (180 ºC), preaquecido, em banho-maria até ficar bem firme. Espere esfriar, desenforme e sirva salpicado com o coco.

SOBREMESAS

40 min · 6 porções

Delícia de morango

ingredientes **Creme** 1 embalagem de leite condensado • ¼ de xícara de leite • 1 colher (sopa) rasa de margarina • 1 colher (chá) de açúcar **Recheio** 8 morangos picados **Cobertura** 100 g de chocolate • 50 g de creme de leite

preparo **Creme** Coloque todos os ingredientes em uma panela e leve ao fogo, mexendo sempre até soltar do fundo. Reserve. **Cobertura** Pique o chocolate e derreta em banho-maria ou no micro-ondas e acrescente o creme de leite. Reserve também. **Montagem** Em taças, faça uma camada com o creme, uma de morangos picados, mais uma de creme e finalize com a cobertura. Leve para gelar.

Creme com banana

ingredientes 5 bananas-nanicas maduras • 2 colheres (sopa) de açúcar • uma pitada de canela em pó • 2 colheres (sopa) de suco de limão • ½ xícara de água **Creme** 2 xícaras de leite • 2 colheres (sopa) de açúcar • 2 gemas • 1 colher (chá) de essência de baunilha • 3 colheres (sopa) de amido de milho

preparo Corte as bananas em rodelas e leve-as ao fogo com o açúcar, a canela, o suco de limão e a água. Cozinhe por cerca de 10 minutos. Reserve. **Creme** Bata os ingredientes no liquidificador, despeje em uma panela e mexa até engrossar. **Montagem** Em taças, alterne camadas de creme e doce de banana. Deixe gelar bem.

Fantasia de brigadeiro branco com gelatina

ingredientes 1 embalagem de gelatina sabor cereja • 1 embalagem de gelatina sabor maracujá • 1 embalagem de gelatina sabor limão • 1 lata de leite condensado • 1 colher (sopa) de manteiga • 1 embalagem de creme de leite • granulado branco para salpicar

preparo **1** Prepare cada sabor de gelatina usando metade da água indicada na embalagem. **2** Coloque em assadeiras levemente untadas com óleo e leve à geladeira por cerca de 3 horas até endurecer. **3** Leve ao fogo o leite condensado e a manteiga e cozinhe sem parar de mexer até começar a soltar do fundo da panela. Retire do fogo e misture o creme de leite. Deixe esfriar. **4** Corte as gelatinas em cubos pequenos. Reserve. **5** Em um recipiente ou taças individuais, coloque o brigadeiro branco e cubra com os cubos de gelatina. Sirva gelado.

Índice das receitas

Arroz integral colorido 27
Assado de carne moída 5
Assado de legumes 33
Batata recheada 34
Berinjela ao forno 31
Bifinho de carne moída 7
Bombocado de mandioca 41
Canelone de ricota e peito
de peru 24
Chuchu recheado 30
Costelinha com molho andaluz 9
Creme com banana 45
Creme de milho-verde
e brócolis 32
Cubos de frango caipira 18
Delícia de morango 44
Empadão goiano 8
Escondidinho de carne-seca 10
Espetinho de frango 13
Estrogonofe de chocolate 39
Fantasia de brigadeiro branco
com gelatina 46
Filé ao molho mostarda 2
Filé de pescada ao molho
de maracujá 14
Flan de ricota com laranja 38
Frango à portuguesa 16
Frango com quiabo 12
Fritada com batata e cebola 29
Galinhada 15
Isca de carne 3
Lagarto ao molho de palmito 4

Linguado com pimenta rosa 21
Lombo suíno com mandioquinha 11
Macarrão com molho
de brócolis 26
Manga grelhada ao molho
dourado 42
Nhoque de arroz 25
Panqueca de carne moída
com berinjela 22
Pescada à moda finlandesa 19
Pudim de batata-doce 43
Risone cremoso com frango
e abóbora 23
Rolê de carne com cogumelos 6
Sagu ao vinho tinto 37
Salada de alcachofra com
erva-doce 28
Salada de batata com ervas 36
Salmão ao molho de laranja 17
Sorvete de chocolate fácil 40
Suflê de espinafre 35
Tilápia com castanhas
e alho-poró 20

Copyright © 2016 Edu Guedes.
Copyright do texto e das fotos © 2016 Alaúde Editorial Ltda.

Todos os direitos reservados. Nenhuma parte desta edição pode ser utilizada ou reproduzida – em qualquer meio ou forma, seja mecânico ou eletrônico – nem apropriada ou estocada em sistema de banco de dados sem a expressa autorização da editora.

O texto deste livro foi fixado conforme o acordo ortográfico vigente no Brasil desde 1º de janeiro de 2009.

Produção editorial: Editora Alaúde
Coordenação: Bia Nunes de Sousa
Revisão: Carla Bitelli, Rosi Ribeiro Melo
Capa e projeto gráfico: Rodrigo Frazão
Imagem do autor: Ricardo Beccari
Fotos: Estúdio Boccato (págs. 8, 9, 10, 15, 18, 19, 20 e 21) e acervo Alaúde
Agenciamento: 2mb Licenciamento, Marketing, Representações

Impressão e acabamento: Ipsis Gráfica e Editora S/A
1ª edição, 2017

Dados Internacionais de Catalogação na Publicação (CIP)
(Câmara Brasileira do Livro, SP, Brasil)

Guedes, Edu
Dia a dia com mais sabor / Edu Guedes. -- São Paulo : Alaúde Editorial, 2016.

ISBN 978-85-7881-398-7

1. Culinária (Receitas) 2. Gastronomia I. Título.

16-08614 CDD-641.5

Índices para catálogo sistemático:
1. Receitas: Culinária: Economia doméstica 641.5

2017
Alaúde Editorial Ltda.
Avenida Paulista, 1337
conjunto 11, Bela Vista
São Paulo, SP, 01311-200
Tel.: (11) 5572-9474
www.alaude.com.br

Compartilhe a sua opinião sobre este livro usando a hashtag
#DiaADiaComMaisSabor
nas nossas redes sociais!

/EditoraAlaude
/EditoraAlaude
/AlaudeEditora